KU-175-945

A' chiad fhoillseachadh sa Bheurla le Sunbird Books, meur de Phoenix International Publications, Inc.

8501 West Higgins Road
Chicago, Illinois 60631

34 Seymour Street
Lunnainn W1H 7JE

Heimhuder Straße 81
20148 Hamburg

www.sunbirdkidsbooks.com

Chaidh obair-ealain an leabhair seo a chruthachadh le peansail agus pàipear le taic bho choimpiutair.

A' chiad fhoillseachadh sa Ghàidhlig 2022 le Acair

An Tosgan, Rathad Shìophoirt, Steòrnabhagh, Eilean Leòdhais HS1 2SD

info@acairbooks.com

www.acairbooks.com

An tionndadh Gàidhlig le Johan Nic a' Ghobhainn
An dealbhachadh sa Ghàidhlig le Mairead Anna NicLeòid

Tha Acair a' faighinn taic bho Bhòrd na Gàidhlig

Gheibhear clàr catalog CIP airson an leabhair seo ann an Leabharlann Bhreatainn

Clò-bhuailte ann an Sìona

LAGE/ISBN 978-1-78907-121-4

Riaghladair Carthannas na h-Alb
Carthannas Clàraichte/
Registered Charity SC047866

Steigte A-STAIGH

Sgrìobhte agus deilbhte le Sally Anne Garland

Ghoirtich Tòbaidh a spòg bheag agus dh'fheumadh e fuireachd a-staigh gus am fàsadh i nas fheàrr, an àite a dhol air na cuairtean àbhaisteach aige.

Dh'fheumadh Tilidh fuireachd a-staigh cuideachd, gus an deigheadh an stoirm mhòr seachad.

Tòbaidh bochd. Bha e a' coiseachd air ais 's air adhart aig an doras-aghaidh...

...fhad 's a bha Tilidh a' coimhead gu tùrsach a-mach an uinneig air na sgòthan dorcha a bha a' nochdadh.

An uair sin, thug an cù bea
a-steach rud as àbhaist
a bhith a-muigh...

...agus dh'fhàg e, le làn dòchais, aig casan Tilidh i.

B' e iall a bh' ann, agus thug seo beachd dha Tilidh air dè a dh'fhaodadh iad a dhèanamh.

Còmhla, thòisich iad
a' sporghail a-staigh,
a' lorg nan rudan
air am biodh iad
a' cur feum a-muigh.

Rudeigin eagalach, dh'fhosgail
iad dorsan a bha an-còmhnaidh
a' coimhead dùinte agus thug iad
sùil a dh'oiseanan dorcha.

Rinn iad deagh sgrùdadh fo leapannan
airson rudan a dh'fhaodadh
a bhith falaichte fòdhpa...

...agus sùil eile a dh'àitichean anns nach robh iad air sùil a thoirt roimhe seo.

Bha iad a' rùrach air àrr nan sgeilpichean agus mothachadh do rudan làn dust a bha iad air a dhìochuimhneachadh o chionn fhada.

Eadar iad, thàinig iad tarsainn
air tòrr de rudan inntinneach.

Rudan do nach tug iad an aire roimhe...

...agus dèideagan air nach robh guth aca.

Seann bhataichean.
Sgàileanan le
spògan briste.

Bùird-spèilidh, rolan-spèilidh agus
an t-uabhas de bhàllaichean eadar-dhealaichte.

Baidhsagalan, ròpan-sgiobaidh...

...agus eadhon amar mòr
's a' ghaoth air a thighinn às.

Chruinnich Tilidh agus Tòbaidh na diofar rudan sin agus chruthaich iad càrn mòr de rudan a ghabhadh a chleachdadh a-muigh...

...agus cho-dhùin iad
rudeigin math
a dhèanamh leis
na bha aca.

Fhad 's a bha iad a' gluasad agus a' giùlan stuth,
bheachdaich iad air na geamannan a chluicheadh
iad a dh'aithghearr...

...agus fhad 's a bha iad a' cur charan de rudan, chuimhnich iad air na h-àitichean san robh iad roimhe agus fadachd orra airson am faicinn a-rithist.

Nan dithis chruthaich iad dàn`-thursan
mìorbhaileach nan inntinn,
agus sheas iad air ais le iongnadh
a' coimhead air na chruthaich iad...

...rudeigin air leth
iongantach, a-mach às
na diofar rudan air an
d' fhuair iad lorg.

Inneal-Dìon Stoirm agus
Cuairt Chon nach fhacas
a shamhail a-riamh!

Thug iad cho fada
a' cluich leis 's gun chaill ia
sealladh air gun robh iad
steigte a-staigh.